カーズ

えいが『カーズ』の なかまたち

ちゅうもくの しんじんレーサー ライトニング・マックィーンが まよいこんだ まち、ラジエーター・スプリングスで しりあった くるまたちだよ。

003

ライトニング・マックィーン

らいとにんぐ・まっくぃーん

スタンダードタイプ

　しんじんの　てんさいレーサー。ピストン・カップの　けっしょうせんに　むかう　とちゅう、ラジエーター・スプリングスの　まちに　まよいこみ、そこで　メーターたちと　であったよ。

LIGHTNING McQUEEN

ライトニング・マックィーン

らいとにんぐ・まっくぃーん

ジャンプタイプ

　ピストン・カップの　しゅうばん、くるまたちが　つぎつぎとクラッシュし、コースを　ふさいだ。マックィーンは、ジャンプでとびこえて　とおりぬけ、いっとき　トップに　おどりでたんだ。

LIGHTNING McQUEEN

ライトニング・マックィーン

らいとにんぐ・まっくぃーん

ダイナコタイプ
だいなこたいぷ

　マックィーンは、せきゆの
かいしゃ　ダイナコが、キングで
は　なく　じぶんの　スポンサー
に　なった　ことを　そうぞうし
たんだ。あおく　かっこいい、
こんな　すがただ。

LIGHTNING McQUEEN

ライトニング・マックィーン

らいとにんぐ・まっくぃーん

クルージングタイプ
くるーじんぐたいぷ

　ラジエーター・スプリングスの
メインストリートを　マックィー
ンが　きれいに　なおして、みん
なとも　なかよく　なったよ。
ラモーンが　ボディーを　かっこ
よく　ぬって　くれたね。

LIGHTNING McQUEEN

マック

まっく

**ディズニー・ピクサー
トミカコレクション**

マックィーンを いつもはこんで いる トラックだ。いねむりうんてんを して いる まに、かぎが はずれて うしろの とびらが あき、マックィーンは すべりおちて しまった。

MACK

※この車は、実物大ではありません。

メーター

めーたー

スタンダードタイプ

おしゃべりで ようきな レッカーしゃ。マックィーンの しんゆうだ。ふるく なり、さびも でて ヘッドライトも かたほう ないけれど、レッカーの うでまえは だれにも まけない。

MATER

メーター

めーたー
ヤングタイプ

　ラジエーター・スプリングスの まちが にぎやかだった ころの、 わかい メーター。ぴかぴかで、 なんといっても いまと ちがう のは、まだ ボンネットを なく して いない ことだ。

MATER

ルイジ

るいじ
スタンダードタイプ

　タイヤを うる おみせを ひらいて いる。イタリアの スーパーカー、フェラーリに あこがれて いて、おみせに ほんものが きた ときは、 うれしくて たおれた ほどだ。

LUIGI

007

グイド
ぐいど

スタンダードタイプ

　ルイジの おみせで はたらいて いる フォークリフト。いつも タイヤを こうかんする れんしゅうに はげむ。しょうらいは レースチームに はいりたいと ゆめみて いる。

GUIDO

レッド
れっど

スタンダードタイプ

　まちで たった ひとりの しょうぼうしゃ。よく はなに みずを やって いる。むくちで やさしいけれど、まちの ために つくそうと いう あつい きもちを もって いる。

RED

フィルモア

ふぃるもあ

スタンダードタイプ

　しぜんから とれる むてんか の ねんりょうを つくって、 みんなに すすめて いる。また、 ヨガにも かんしんが ある。 サージと いけんが あわず、 けんかが たえない。

FILLMORE

サージ

さーじ

スタンダードタイプ

　むかし ぐんたいに いた ジープ。いまでも その ときの くせが ぬけず、きびしい せい かくだ。ちゅうこの ぐんじよう ひんの おみせを けいえいして いる。

SARGE

009

サリー
さりー

スタンダードタイプ

　べんごしとして　いそがしい　ひびを　おくって　いたが、ラジエーター・スプリングスに　ぐうぜん　きた。すっかり　まちと　みんなが　すきに　なり、そのまま　すむ　ことに　なったよ。

SALLY CARRERA

ドック・ハドソン
どっく・はどそん

スタンダードタイプ

　おいしゃさんで、さいばんかんも　つとめて　いる。みんなの　びょうきを　みて　くれるので、とても　そんけいされて　いる。この　まちに　くる　まえは、でんせつの　レーサーだった。

DOC HUDSON

シェリフ

しぇりふ

スタンダードタイプ

　まちを　まもる　けいさつかん。おとうさんや　おじいさんを　はじめ、しんせきも　みんな　けいさつの　しごとを　して　いたので、こどもの　ころから　しょうらいを　きめて　いた。

SHERIFF

ラモーン

らもーん

スタンダードタイプ

　くるまの　ボディーを　ぬる　しごとを　して　いる。たのまれたら　みんなの　ボディーを　ぬって　あげるが、じぶんの　いろも　1しゅうかんに　なんかいも　ぬりかえて　いる。

RAMONE

ラモーン
らもーん

フロー ペイント

　ラモーンが、おくさんの フローと おなじ ペイントに したよ。ふたりで ラジエーター・スプリングスの まちを はしっていると、ほんとうに おにあいのカップルに みえるね。

RAMONE

フロー
ふろー

スタンダードタイプ

　50ねんいじょうまえ、しごとでラジエーター・スプリングスにきた。ボディーの きずを なおして もらおうと した ときにラモーンと しりあい、こいにおちて しまった。

FLO

トラクター
とらくたー
スタンダードタイプ

はたけに たくさん いて、たべたり ねむったり する。コンバインの フランクが、トラクターたちを みはって いる。おどろかされると ひっくりかえる くせが ある。

TRACTOR

チック・ヒックス
ちっく・ひっくす
スタンダードタイプ

ベテランの レーサーだが、いつも キングに かてず、2ばんにしか なれない。もう すぐ キングが いんたいするので、こんどこそ 1ばんに なれると きたいして いる。

CHICK HICKS

013

チック・ヒックス
ちっく・ひっくす

ダイナコタイプ

　マックィーンの　ゆめに　でた　チック・ヒックス。マックィーンより　さきに　ピストン・カップ　けっしょうせんの　かいじょうに　つき、ダイナコを　スポンサーとして　かくとくした。

CHICK HICKS

キング
きんぐ

スタンダードタイプ

　ピストン・カップで　もっとも　おおく、7かいも　ゆうしょうして　いる　レーサー。まさに　レースの　おうさまだ。もう　すぐ　いんたいして、つまと　ゆっくり　くらす　つもりだ。

THE KING

バズ・ライトイヤー
ばず・らいといやー
スタンダードタイプ

ウッディ
うっでぃ
スタンダードタイプ

ハム
はむ
スタンダードタイプ

BUZZ LIGHTYEAR

WOODY

HAMM

ラジエーター・スプリングス・ドライブインシアターで、マックィーン はじめ くるまたちが、えいがを みて たのしんで いるよ。そこで じょうえいされて いる えいがは、『トイ・カー・ストーリー』だ。とうじょうする くるまたちは、えいが『トイ・ストーリー』に でて くる おもちゃたちと、みかけも こうどうも そっくりだ。バズと ウッディが いいあらそって いる ようすを みて いると、おもわず くすっと して しまう。つづいて、えいが 『モンスター・トラックス・インク』『バグズ(ワーゲン)・ライフ』も じょうえいされるよ。

トッド

とっど

スタンダードタイプ

えいが 『トイ・ストーリー』に とうじょうする レストラン、ピザ・プラネット。そこで はたらく トラックが トッドだ。

ピストン・カップを みに きて いるよ。

TODD

016

えいが『カーズ2』の なかまたち

マックイーンは、ピストン・カップで 4かいも ゆうしょうし、つぎは ワールド・グランプリに しゅつじょうするよ！

ライトニング・マックィーン
らいとにんぐ・まっくぃーん
カーズ2 オープニングタイプ

　ピストン・カップで　ゆうしょうし、ひさしぶりに　マックィーンは　ラジエーター・スプリングスに　かえって　きた。メーターを　はじめと　した　なかまたちに　だいかんげいされたよ。

LIGHTNING McQUEEN

ライトニング・マックィーン
らいとにんぐ・まっくぃーん
ワールドグランプリタイプ

　ピストン・カップで　4かいも　ゆうしょうしたので、のんびりと　ラジエーター・スプリングスで　すごす　つもりだった。しかし、きゅうきょ　ワールド・グランプリに　でる　ことに　なった。

LIGHTNING McQUEEN

ライトニング・マックィーン
らいとにんぐ・まっくぃーん

パーティータイプ

ワールド・グランプリの レースち、イタリアの ポルト・コルサで、マックィーンは ルイジの おじさんに であった。そこで おじさんに しんぱいごとを そうだんしながら さんぽしたよ。

LIGHTNING McQUEEN

マック
まっく

カーズ2 タイプ

マックィーンを のせて、ラジエーター・スプリングスの まちに かえってきた。マックィーンが メーターと ひさしぶりに あって タイヤを ぶつけあう、ゆうじょうの ぎしきを みまもる。

MACK

※この車は、実物大ではありません。

ライトニング・マックィーン
らいとにんぐ・まっくぃーん

マックィーンが ラモーンに たのんで、なかまの フランチェスコ・ベルヌーイ、シュウ・トドロキ、ラウール・サルール、ジェフ・ゴルベットと おなじ ペイントに して もらったよ。

フランチェスコ・ベルヌーイ ペイント

シュウ・トドロキ ペイント

020

ラウール・サルール
ペイント

LIGHTNING McQUEEN

ジェフ・ゴルベット
ペイント

LIGHTNING McQUEEN

021

チームマックィーン ピットクルー

ちーむまっくぃーん ぴっとくるー

ワールド・グランプリの レースの とちゅうで、マックィーンは ねんりょうを いれたり する ために ピットに たちよるよ。その ピットで マックィーンを まって いるのは、ルイジ、グイド、フィルモアたちだ。みんな みみに インカムを つけて いるね。

ルイジ
るいじ
チームマックィーン タイプ

LUIGI

グイド
ぐいど
チーム
マックィーン タイプ

GUIDO

フィルモア
ふぃるもあ
チームマックィーン タイプ
ちーむまっくぃーん たいぷ

FILLMORE

メーター
めーたー
スパイAタイプ

　メーターは、とうきょうで スパイに まちがえられた。せっしょくして きた ほんものの スパイ、フィン・マックミサイル たちと、あくの そしきの ひみつを さぐる ぼうけんに でる。

MATER

メーター
めーたー
イヴァン タイプ

　メーターは、あくの そしきの あつまりに ひとりで せんにゅうする ことに なる。わるい やつらの なかま、レッカーしゃ イヴァンに へんそうして もぐりこんだ。

MATER

024

メーター
めーたー
ジェットエンジンタイプ

ワールド・グランプリの けっせんち、ロンドン。ボディーに ばくだんを しかけられた メーターは、ジェットエンジンを ふんしゃし、マックィーンから はなれようと した。

MATER

フィン・マックミサイル
ふぃん・まっくみさいる
スタンダードタイプ

ゆうしゅうで けいけん ほうふな イギリスの スパイ。いろいろな ぶきを そなえて いる。ワールド・グランプリに かくされた いんぼうを あばこうと ふんとうする。

FINN McMISSILE

フィン・マックミサイル
ふぃん・まっくみさいる

ハイドロフォイルタイプ

イギリスの スパイ、フィンは プロフェッサー・ゼットたちから にげた とき、うみに もぐる ために へんしんした。にせの タイヤを うかべて、じぶんは やられたように みせかけた。

FINN McMISSILE

フィン・マックミサイル
ふぃん・まっくみさいる

くうこうけいびタイプ

メーターを アメリカの スパイだと かんちがいした フィン。たいせつな はなしを する ため、くうこうの けいびしょくいんに へんそうして メーターに ちかづいたよ。

FINN McMISSILE

ホリー・シフトウェル

ほりー・しふとうぇる

スタンダードタイプ

　とうきょうで かつどうして いる しんじんの スパイ。がっこうで スパイに ついて いろいろと まなんだが、じっさいの にんむの けいけんは まだ すくなく、これからだ。

HOLLEY SHIFTWELL

ホリー・シフトウェル

ほりー・しふとうぇる

スタンガンタイプ

　まえの タイヤに、ホリーは いくつも ぶきを そなえて いる。トンベを スタンガンで かるく かんでんさせたり、じゅうで プロフェッサー・ゼットを おいつめたり した。

HOLLEY SHIFTWELL

ホリー・シフトウェル

ほりー・しふとうぇる

エアータイプ
えあーたいぷ

ホリーは つばさを ひろげて、じゆうじざいに とぶ ことが できる。ロンドンで、メーターを まもる ために、てきの グレムと エーサーを そらから こうげきして ふっとばした。

HOLLEY SHIFTWELL

ロッド・トルク・レッドライン

ろっど・とるく・れっどらいん

スタンダードタイプ
すたんだーどたいぷ

とうきょうで フィンたちに あくの いんぼうの じょうほうを わたそうと する、アメリカの スパイ。しかし、うまく いかず、メーターの ボディーに こっそり かくした。

ROD "TORQUE" REDLINE

トンベ

とんべ
スタンダードタイプ

パリで くるまの ふるい ぶひんを うって いる。ホリーが みせた しゃしんに トンベが うった ぶひんが うつって いて、フィンたちは あくの そしきへの ヒントを つかんだ。

TOMBER

プロフェッサー・ゼット

ぷろふぇっさー・ぜっと
スタンダードタイプ

ドイツの ひねくれものの かがくしゃ。とおくから そうさして くるまを ばくはつさせる きけんな ぶきを かいはつし、ワールド・グランプリを こんらんさせようと して いる。

PROFESSOR Z

グレム

ぐれむ

スタンダードタイプ

プロフェッサー・ゼットの てした。からだに さびも きずも あり、じぶんは くるまの せかいで おちこぼれだと かんじて いる。エーサーと くんで、スパイたちを おいかける。

GREM

エーサー

えーさー

スタンダードタイプ

グレムと ともに、プロフェッサー・ゼットの めいれいに したがって、ワールド・グランプリで わるさを する。いつも ぴかぴかに みがかれた くるまに うらみを もって いる。

ACER

シュウ・トドロキ
しゅう・とどろき

スタンダードタイプ

　にっぽんだいひょうレーサー。あさまやまの　ふもとで　そだち、すずかの　レースで　チャンピオンにも　なった。つよい　でんせつの　りゅうを、ボディーにペイントしたよ。

SHU TODOROKI

マッハ・マツオ
まっは・まつお

スタンダードタイプ

　ル・マンたいきゅうレースでゆうしょうするなど、にっぽんだけで　なく　ヨーロッパでもかつやくした、もと　レーサー。いまは　シュウ・トドロキのクルー・チーフを　して　いる。

MACH MATSUO

キック
きっく
ジャパンチームタイプ

シュウ・トドロキの メカニック。レースの とちゅうで ピットに シュウ・トドロキが はいると、エンジンや タイヤなど たいちょうを ととのえ、ふたたび サーキットに おくりだす。

KICK

ライトニング・マックィーン
らいとにんぐ・まっくぃーん
カーボンレーサータイプ

マックィーンは レースで はやく はしる ために、かるくて じょうぶな カーボンの ボディーに かえたんだ。それを みた フランチェスコたちも、ならって かえたよ。

LIGHTNING McQUEEN

フランチェスコ・ベルヌーイ
ふらんちぇすこ・べるぬーい

イタリアの レーサーで、マックィーンの さいだいの ライバル。とても めだちたがりや。ワールド・グランプリの とうきょうの レースでは、マックィーンを やぶって、かった。

スタンダードタイプ

FRANCESCO BERNOULLI

カーボンレーサータイプ

FRANCESCO BERNOULLI

ラウール・サルール
らうーる・さるーる

フランスの アルザスで うまれた レーサー。とても ゆうめいな シルク・ド・ヴォア チュールと いう サーカスで まなんだ わざで、9かいも れんぞくして ラリーレースで ゆうしょうした。

スタンダードタイプ

RAOUL ÇaROULE

カーボンレーサータイプ

RAOUL ÇaROULE

マックス・シュネル
まっくす・しゅねる

ドイツの しゅっしん。もりの なかで ひとりで れんしゅうして いた。その とき、レーシングチームの オーナーに みとめられて スカウトされ、プロの レーサーに なったよ。

スタンダード タイプ

MAX SCHNELL

カーボンレーサー タイプ

MAX SCHNELL

ミゲル・カミーノ
みげる・かみーの

スペインで もっとも しられた、みんなから あいされて いる レーサー。とうぎゅうし として かつやくし、その さいのうを レースにも いかして ちゅうもくされて いる。

スタンダード タイプ

MIGUEL CAMINO

カーボンレーサー タイプ

MIGUEL CAMINO

036

ルイス・ハミルトン

るいす・はみるとん

　こどもの ころから チャンピオンを めざして いた。10さいで すでに、イギリスこくないの せんしゅけんで ゆうしょうした ことも あるほどだ。みかけも とても かっこいい。

スタンダードタイプ

カーボンレーサータイプ

LEWIS HAMILTON

LEWIS HAMILTON

037

リップ・クラッチゴンスキー
りっぷ・くらっちごんすきー

　あたらしく　できた　くに、ニュー・リアエンディアきょうわこく。リップは　この　くにの　なまえを　せかいに　ひろめる　にんむを　せおって、こくさいレースに　しゅつじょうしている。

スタンダードタイプ

RIP CLUTCHGONESKI

カーボンレーサータイプ

RIP CLUTCHGONESKI

038

カルラ・ヴェローゾ
かるら・べろーぞ

スタンダードタイプ

　ワールド・グランプリで たった ひとりの じょせいレーサー。ブラジルの リオ・デ・ジャネイロしゅっしん。じもとの カーニバルで、ちからづよく サンバを おどるのが だいすきだ。

CARLA VELOSO

ジェフ・ゴルベット
じぇふ・ごるべっと

スタンダードタイプ

　いま もっとも すごいと いわれて いる レーサーの ひとり。アメリカの カリフォルニアしゅっしんで、いろいろな レースで トップ10に はいり、しんじんしょうも とって いる。

JEFF GORVETTE

039

ナイジェル・ギアスリー
ないじぇる・ぎあすりー

スタンダードタイプ

　イギリスの　レーサーで、もと もと　やまの　なかの　さかみち を　のぼる　レースから　この せかいに　はいった。イギリスの しんしらしく、ふるまいが　じょ うひんだ。

NIGEL GEARSLEY

トッパー・デッキントン3せい
とっぱー・でっきんとんさんせい

スタンダードタイプ

　イギリスの　ロンドンを　はし る、ゆうめいな　2かいだての バス。かんこうきゃくが　たくさ ん　あつまる　ちゅうしんち、 ペトロデリー・サーカスを　とお る　ルートで　かつやくちゅうだ。

TOPPER DECKINGTON III

040

シルバーレーサータイプ
しるばーれーさーたいぷ

ライトニング・マックィーン、フランチェスコ・ベルヌーイ、ミゲル・カミーノの ボディーが、シルバーに ペイントされたよ。クールな かんじで かっこいいね！

ライトニング・マックィーン
らいとにんぐ・まっくぃーん

LIGHTNING McQUEEN

041

シルバーレーサータイプ
しるばーれーさーたいぷ

フランチェスコ・ベルヌーイ
ふらんちぇすこ・べるぬーい

FRANCESCO BERNOULLI

ミゲル・カミーノ
みげる・かみーの

MIGUEL CAMINO

042

カスタムカー
ケット
宝くじ
速い!
TRAFFIC JAM!
速い
speedy
速い速い!
ASH
洗車場
ドリフ
MOOD
クラッシュ
茶処
OEM
ニュー
NEWS

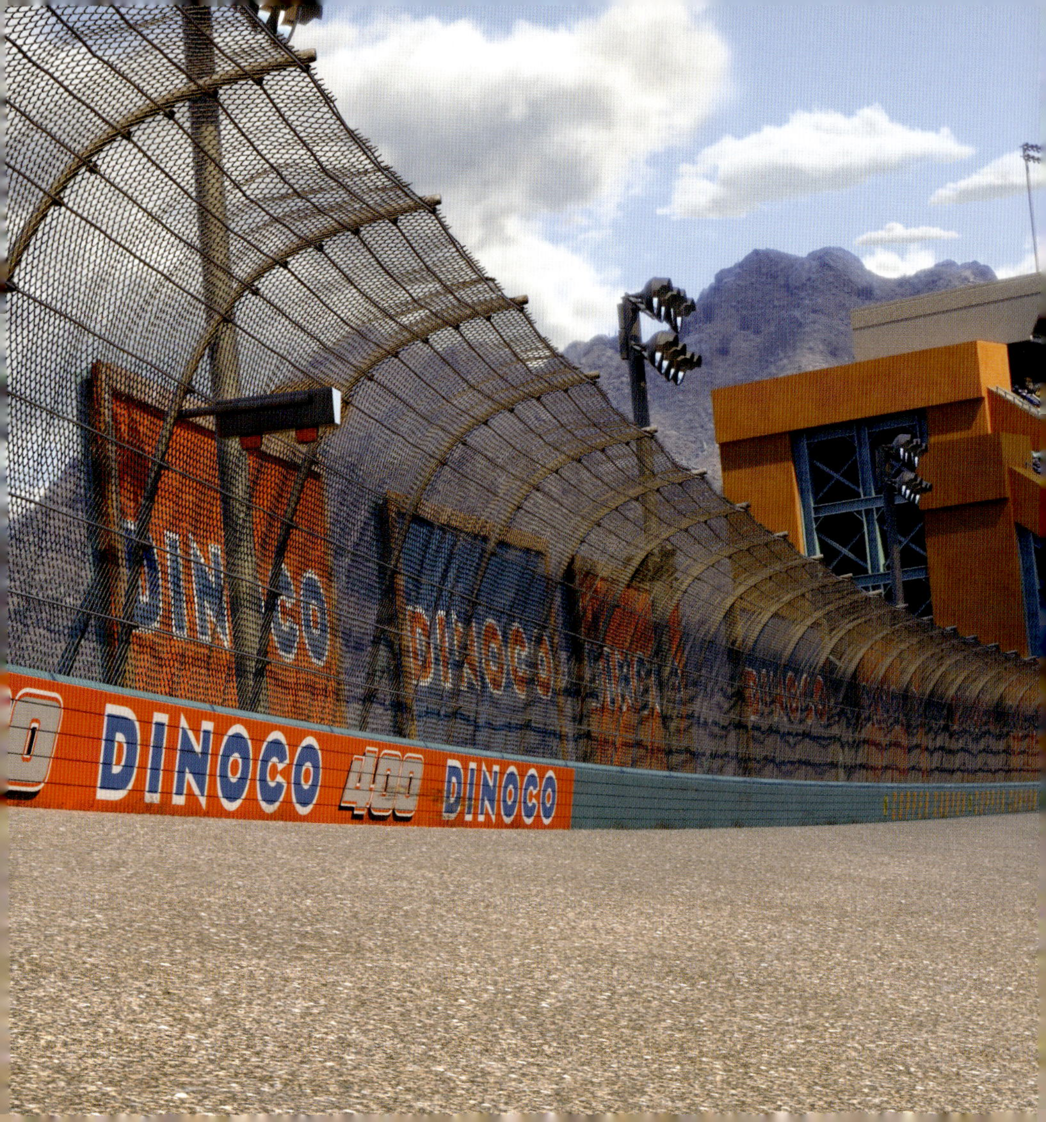
DINOCO
400
DINOCO

カーズ クロスロード

えいが『カーズ／クロスロード』の なかまたち

きょういの しんじん ジャクソン・ストームや、マックィーンの トレーナー クルーズ・ラミレス、ライバルの レーサーなど、あたらしい くるまたちが たくさん いるよ！

045

ライトニング・マックィーン
らいとにんぐ・まっくぃーん

カーズ3 イントロタイプ

いつものように レースで ちょうしよく はしって いた マックィーン。ところが、しんじんの ジャクソン・ストームに ゴールの ちょくぜんで ぬかされ、びっくりして いる。

LIGHTNING McQUEEN

ライトニング・マックィーン
らいとにんぐ・まっくぃーん

カーズ3 スタンダードタイプ

マックィーンに あたらしい ライバル ジャクソン・ストームが あらわれて、なかなか レースに かてなく なった。でも、もう いちど こころを つよく もって がんばる つもりだよ。

LIGHTNING McQUEEN

マック

まっく

**ディズニー・ピクサー
トミカコレクション
（カーズ3 タイプ）**

あらたな けついを むね
に いだく マックィーン。マックは
そんな かれを のせて、ラスティーズ・
レーシング・センターに むかう。

MACK
※この車は、実物大ではありません。

マック

まっく

**ディズニー・ピクサー
トミカコレクション
（ジョッコ・フロッコ
コスチュームタイプ）**

マックィーンを のせて
サンダー・ホロウの どろんこレースに
いったよ。マックィーンが いる ことが
ばれないように へんそうしたんだ。

MACK
※この車は、実物大ではありません。

ライトニング・マックィーン

らいとにんぐ・まっくぃーん

RRCタイプ

ラスティーズ・レーシング・センター（RRC）で、マックィーンは、じぶんの けんこうの じょうたいなどが わかる さいしんの エレクトロニック・スーツを まとったよ。

LIGHTNING McQUEEN

マック

まっく

ディズニー・ピクサー トミカコレクション （RRCタイプ）

マックィーンと クルーズ・ラミレスを トーマスビルまで のせて いったよ。

MACK

※この車は、実物大ではありません。

ライトニング・マックィーン
らいとにんぐ・まっくぃーん

ファビュラスタイプ

　ラジエーター・スプリングスに もどった マックィーン。じぶんの せんせいだった ドック・ハドソンと、ボディーを おなじ いろに して、おなじ もじ（ファビュラス）も いれたよ。

LIGHTNING McQUEEN

ドック・ハドソン
どっく・はどそん

ファビュラスタイプ

　げんえきじだいに だいかつやくして、ピストン・カップで 3かいも ゆうしょうした。ちゅうがえりを して ライバルを おいぬく、アクロバチックな わざを もって いたんだ。

DOC HUDSON

049

クルーズ・ラミレス
くるーず・らみれす

スタンダードタイプ

　ラスティーズ・レーシング・センターの じょせいトレーナー。マックィーンに であって せっして いる うちに、かつて レーサーに なりたかった ことを おもいだす。

CRUZ RAMIREZ

クルーズ・ラミレス
くるーず・らみれす

ラスティーズレーシングタイプ

　ピストン・カップの レース とちゅうから、マックィーンに かわって 95ばんの ゼッケンを つけて しゅつじょうした。さいごに ジャクソン・ストームを おいぬき、ゆうしょうしたよ。

CRUZ RAMIREZ

050

クルーズ・ラミレス
くるーず・らみれす
ダイナコレーシングタイプ

　クルーズ・ラミレスの スポンサーとして、テックス・ダイナコが おうえんする ことに なった。それで クルーズは、あおい ダイナコの ペイントを している。

CRUZ RAMIREZ

クルーズ・ラミレス
くるーず・らみれす
ジャクソン・ストーム タイプ

　グイドが クルーズ・ラミレスを、ジャクソン・ストームに にるように ちょうせいしたよ。マックィーンの れんしゅうあいてに なって、ストームに かつ ためなんだ。

CRUZ RAMIREZ

051

ラモーン
らもーん
カーズ3 タイプ

　ふたたび レースに でるため、ラスティーズ・レーシング・センターへ くんれんに むかうマックィーン。その ボディーを、ラモーンが あたらしく ペイントして あげたよ。

RAMONE

ジェフ・ゴルベット
じぇふ・ごるべっと
カーズ3 タイプ

　アメリカの もと レーサーで、マックィーンの ゆうじん。ピストン・カップの かいまくせん フロリダ500で インタビューを うけ、マックィーンに おうえんの ことばを おくった。

JEFF GORVETTE

スターリング
すたーりんぐ
スタンダードタイプ

ラスティーズ・レーシング・センターを かいとって、あたらしい オーナーに なった。トレーニングの せいかが なかなか でない マックィーンに、いんたいを すすめる。

STERLING

テックス・ダイナコ
てっくす・だいなこ
スタンダードタイプ

ダイナコ・チームの オーナーで、ゆうしゅうな わかものたちを ながい あいだ そだててきた。やさしい こころの もちぬしで、みんなから とても しんらいされて いる。

TEX DINOCO

053

ジャクソン・ストーム
じゃくそん・すとーむ

スタンダードタイプ

とつぜん あらわれた しんじんレーサー。いつも シミュレーターだけで トレーニングを して いて、レースの けいけんは すくない。うぬぼれやで まける ことは かんがえない。

JACKSON STORM

ゲイル・ビューフォート
げいる・びゅーふぉーと

ディズニー・ピクサー
トミカコレクション
(スタンダードタイプ)

ジャクソン・ストームを レースじょうに はこんで いる。おおきな ボディーが じまんで、いつも ぴかぴかに みがいて いる。

GALE BEAUFORT

※この車は、実物大ではありません。

054 DINOCO DINOCO

キャル・ウェザーズ
きゃる・うぇざーず

スタンダードタイプ

　ピストン・カップで 7かいも ゆうしょうした キングの おい。ダイナコ・ブルーの ボディーに、おじさんの 43から 1を ひいた ゼッケン 42を つけて はしるよ。

CAL WEATHERS

ブリック・ヤードレィ
ぶりっく・やーどれぃ

スタンダードタイプ

　なんどか マックィーンにも かった ことの ある、いだいな レーサー。いろんな レースで しりあう ことが できた なかまとの ゆうじょうを、とても たいせつに して いる。

BRICK YARDLEY

055

J・P・ドライブ
じぇー・ぴー・どらいぶ

スタンダードタイプ

　かっこいい デザインで、より はやく はしる ための さいしんテクノロジーを つかって いる。レースで その のうりょくを はっきして、どんどん じゅんいを あげて いる。

J.P. DRIVE

チェイス・レースロット
ちぇいす・れーすろっと

スタンダードタイプ

　ちちおやも ピストン・カップの レーサーだった。その ため、プロの レーサーに なる まえから しあいに かつ ための トレーニングを ずっと つづけて きた。

CHASE RACELOTT

056

バッバ・ホイールハウス
ばっぱ・ほいーるはうす

スタンダードタイプ

　こどもの　ころから　ずっと
はしる　ことを　つづけて　きた。
さいねんしょうで　レースに
ゆうしょうした　ことも　ある。
スピードでは　ほかの　レーサー
に　まけない　じしんが　ある。

BUBBA WHEELHOUSE

ライアン・インサイド・レニー
らいあん・いんさいど・れにー

スタンダードタイプ

　ようきな　せいかくで　さいの
うに　あふれる。レースでの
はしりは　とても　じょうねつて
きで、ファンを　たのしませて
くれる。じせだいがたレーサーと
しての　おてほんだ。

RYAN "INSIDE" LANEY

057

ジム・レヴェリック
じむ・れべりっく

スタンダードタイプ

　フロリダ500の レースまえ、マックイーンは マックの なかで きもちを しゅうちゅうさせて いた。その マックの よこを すっと とおりぬけたのが、ジム・レヴェリックだ。

JIM REVELLICK

ダニー・シュワヴェッツ
だにー・しゅわべっつ

スタンダードタイプ

　いろいろな こんなんを のりこえて、ピストン・カップでも なまえが しられて きた しんじんレーサー。なんにでも いっしょうけんめいに とりくみ、どりょくかで、おぼえが はやい。

DANNY SWERVEZ

ダレル・カートリップ
だれる・かーとりっぷ

スタンダードタイプ

ピストン・カップで チャンピオンに なった ことも ある レーサー。でも、いまは テレビで かいせつしゃとして、アナウンサーと いっしょに レースの ちゅうけいを して いる。

DARRELL CARTRIP

ナタリー・サートゥン
なたりー・さーとぅん

スタンダードタイプ

レースの データを もとに ぶんせきする しごとを して いる。じっさいの レースの ちしきは すくない。いろいろな レーサーを、じょうねつよりも すうじで はんだんする。

NATALIE CERTAIN

061

ミス・フリッター
みす・ふりったー
スタンダードタイプ

サンダー・ホロウの どろんこ レースで でんせつと なるほど、ゆうめいだ。とても おおきな ボディーに つののような えんとつを つけて、たいせんあいてを こわがらせる。

MISS FRITTER

アーヴィー
あーびー
スタンダードタイプ

ミス・フリッターや ドクター・ダメージと、まいしゅう きんようびの どろんこレースに でる キャンピングカー。スピンしたり ぶつかったり して、ファンを よろこばせる。

ARVY

ドクター・ダメージ
どくたー・だめーじ

スタンダードタイプ

　うごきが すばやく、どろんこ レースで かつやくして いる。 むかしは きゅうきゅうしゃとし て はたらいて いたが、いまは たいせんあいてを びょういんお くりに して いる。

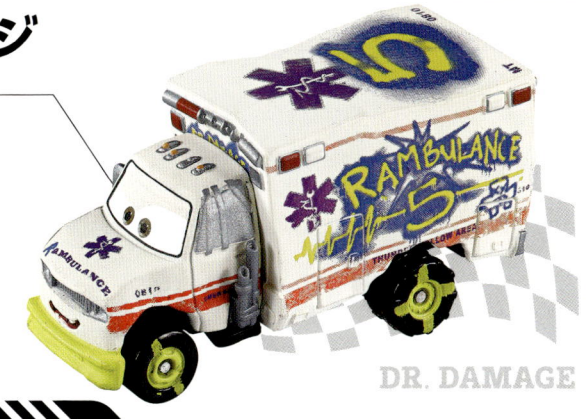

DR. DAMAGE

スモーキー
すもーきー

スタンダードタイプ

　ピストン・カップに でた チームの もと オーナーで、 クルー・チーフ。くるまの せい びの しごとも して いた。 ドック・ハドソンに、レースで たたかう わざを おしえたよ。

SMOKEY

063

ルイーズ・ナッシュ
るいーず・なっしゅ

スタンダードタイプ

ピストン・カップで、3れんぞくで ゆうしょうした ことが ある。はじめての じょせいの レーサーで、いじわるも された が、まけなかったので そんけい されて いる。

LOUISE NASH

ジュニア・ムーン
じゅにあ・むーん

スタンダードタイプ

せいびされた レースじょうが できる まえから、つきの あか りの したで はしって いた ため、この なまえが ついた。 ドックたちは、ジュニア・ムーン と はしる ことが すきだった。

JUNIOR MOON

リバー・スコット

りばー・すこっと

スタンダードタイプ

　よく　むかしばなしを　して
いる。はげしい　せいかくで、
すぐに　けんかを　して　しまう。
その　とき　できた　へこみきず
は、じぶんの　くんしょうだと
おもって　いる。

RIVER SCOTT

リロイ・ヘミング

りろい・へみんぐ

スタンダードタイプ

　トーマスビル・スピードウェイ
で　おこなわれた　レースで、
ドック・ハドソンを　コースの
かべに　ぶつけようと　したが、
ちゅうがえりの　わざで　かわさ
れ　ドックに　まけて　しまった。

LEROY HEMING

065

ラスティーズラップ

らすてぃーずらっぷ

チームマックィーンセンター（RRC）にマックィーンのようにぜんいんが、テックス・ダイナコしゃのやって きた。マックィーンを おうえんする ために、しゃたいをぬりかえたよ。これで、じゅんびは OKだね！ラスティーズ・レーシング・

ルイジ
るいじ
RRCタイプ

LUIGI

グイド
ぐいど
RRCタイプ

GUIDO

メーター
めーたー
RRCタイプ

MATER

フィルモア
ふぃるもあ
RRCタイプ

FILLMORE

067

トーマスビルトリビュート
とーますびるとりびゅーと

マックィーンと クルーズ・ラミレスが むかしの レーサーを おいわいする ために、トーマスビル・スピードウェイで レースを かいさいして いる。しゅつじょうする ために くるまたちは、そんけいする レーサーの カラーに しゃたいを ぬりかえたよ。

ジャクソン・ストーム
じゃくそん・すとーむ
トーマスビルタイプ

JACKSON STORM

キング
きんぐ
トーマスビルタイプ

THE KING

ダニー・シュワヴェッツ
だにー・しゅわべっつ
トーマスビルタイプ
とーますびるたいぷ

DANNY SWERVEZ

クルーズ・ラミレス
くるーず・らみれす
トーマスビルタイプ
とーますびるたいぷ

CRUZ RAMIREZ

069

ペイントタイプ
ぺいんとたいぷ

マックィーンたち、ラジエーター・スプリングスの　なかまたちが、これまでに　ないような
かっこいい　デザインで　ペイントされたよ。

ライトニング・マックィーン
らいとにんぐ・まっくぃーん
ホットロッドタイプ
ほっとろっどたいぷ

LIGHTNING McQUEEN

メーター
めーたー
ホットロッドタイプ
ほっとろっどたいぷ

MATER

070

シェリフ
しぇりふ
ピンストライプタイプ

SHERIFF

レッド
れっど
クラシックタイプ

RED

071

シルバーレーサータイプ
しるばーれーさーたいぷ

マックィーンや ジャクソン・ストームなど にんきの レーサーたちが、シルバーに ペイントされたよ。スマートで、とても はやそうだね！

ライトニング・マックィーン
らいとにんぐ・まっくぃーん

LIGHTNING McQUEEN

ジャクソン・ストーム
じゃくそん・すとーむ

JACKSON STORM

072

クルーズ・ラミレス
くるーず・らみれす

CRUZ RAMIREZ

ドック・ハドソン
どっく・はどそん

DOC HUDSON

073

アイスレーシングタイプ
あいすれーしんぐたいぷ

マックィーンたちは、せかいじゅうの いろいろな レースに しゅつじょうして いるよ。こんどは とても さむい ところの レースに でる ことに なった。そんな ばしょでも ちゃんと はしる ことが できるように、しっかりと そうびを して いるんだ。

ライトニング・マックィーン
らいとにんぐ・まっくぃーん

クルーズ・ラミレス
くるーず・らみれす

メーター
めーたー

MATER

ジャクソン・ストーム
じゃくそん・すとーむ

JACKSON STORM

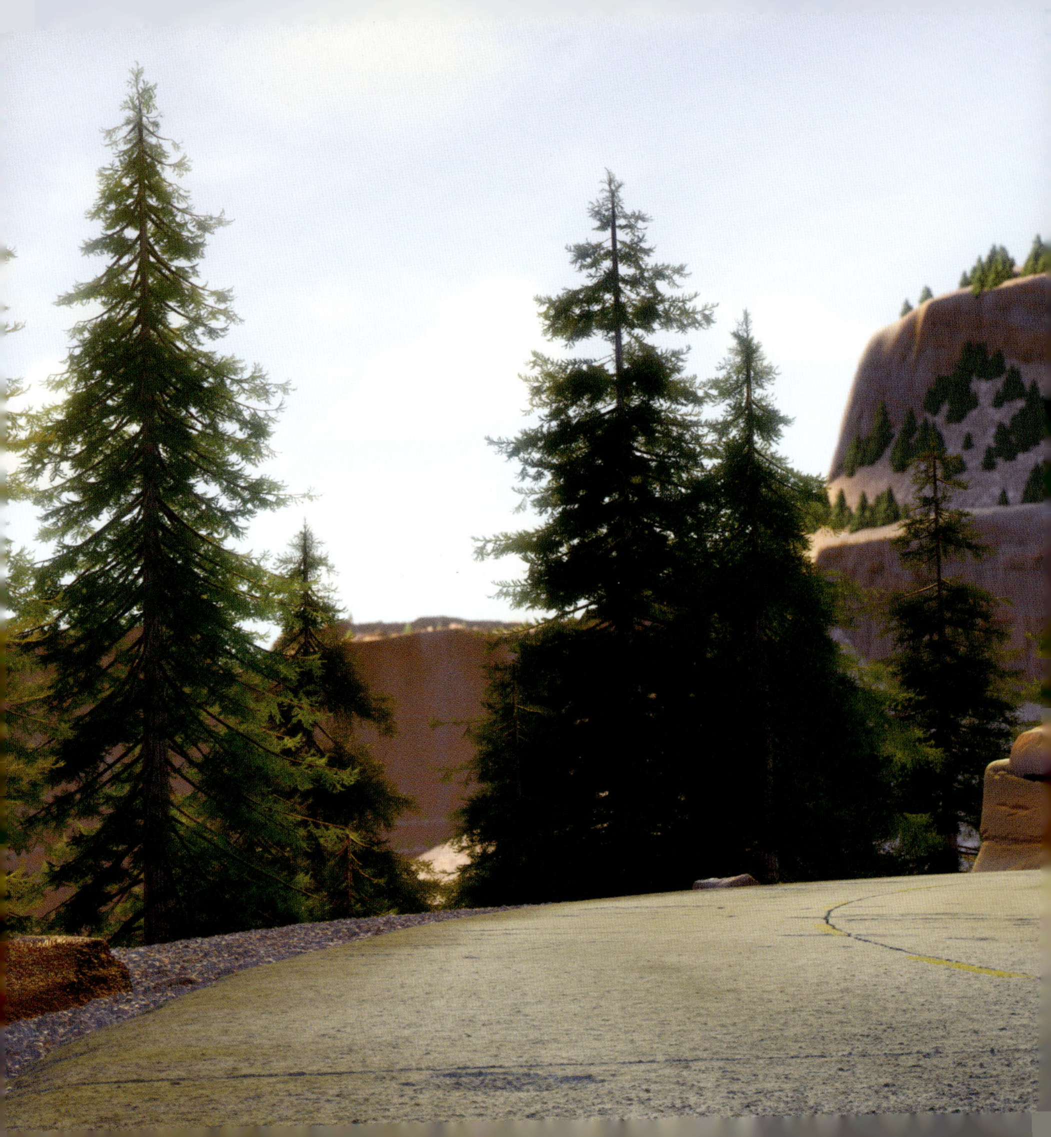

Disney・PIXAR カーズ オン・ザ・ロード

たんぺんさくひん『カーズ・オン・ザ・ロード』のなかまたち

『カーズ・オン・ザ・ロード』は、マックィーンと メーターが、メーターの おねえさんの けっこんしきに でる ために たびを する おはなしだ。ふたりは たすけあいながら ぼうけんを して いくよ。

ライトニング・マックィーン
らいとにんぐ・まっくぃーん
ロードトリップタイプ

メーターと たびに でる マックィーンの ために、ラモーンが あたらしい ペイントを ボンネットに して くれた。ラジエーター・スプリングスの いわやまのような しるしだ。

LIGHTNING McQUEEN

クルーズ・ラミレス
くるーず・らみれす
ラスティーズダイナコタイプ

マックィーンたちと メーターの いえでの さいかいを よろこんだ。クルーズは メーターの おねえさんと けっこんする マテオの いとこで、けっこんしきに しょうたいされたのだ。

CRUZ RAMIREZ

078

メーター

めーたー
ケイブタイプ

　きょうりゅうこうえんで　はなしを　きいて　いる　うちに　メーターは　ねむって　しまい、ゆめの　なかで　きょうりゅうの　せかいに　いった。そこでは　いしのように　なって　いた。

MATER

ライトニング・マックィーン

らいとにんぐ・まっくぃーん
ケイブタイプ

　マックィーンも、おなじく　いしのようで、きょうりゅうに　ちかづいたら　くわえられて　つかまって　しまった。でも、メーターが　にだいの　フックを　なげて　たすけようと　したよ。

LIGHTNING McQUEEN

079

メーター
めーたー
ハンタータイプ

　もりで、いまだに しられて いない いきものを さがす けんきゅうしゃたちと であい、なかよく なった。その いきものを さがしに、いっしょに もりの なかを すすむよ。

MATER

ライトニング・マックィーン
らいとにんぐ・まっくぃーん
ハンタータイプ

　もりの なかで キャンプの じゅんびを して いた。でも、メーターが もりで であった けんきゅうしゃたちと、いきもの さがしに いくと いうので、しかたなく ついて いく。

LIGHTNING McQUEEN

ライトニング・マックィーン
らいとにんぐ・まっくぃーん
シェリフタイプ

　えいがの　さつえいげんばを
とおりかかり、ふくほあんかんと
して　えいがに　しゅつえんする
ことに　なる。かんとくから
なんども　やりなおしを　めいじ
られ、もう　へとへとだ。

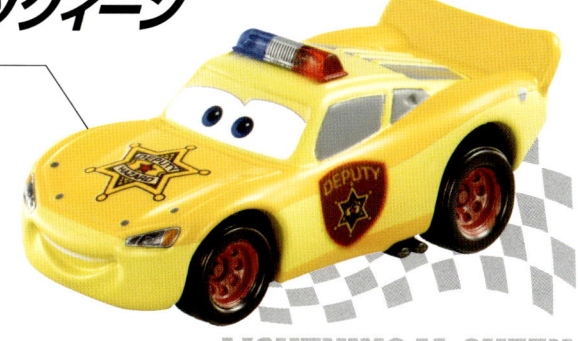

LIGHTNING McQUEEN

メーター
めーたー
プレジデントタイプ

　マックィーンと　ちがって
メーターは、どんな　やくでも
じょうずに　こなし、たちまち
にんきものに！　アメリカだいと
うりょうの　やくまで　えんじて
ほしいと　いわれたよ。

MATER

081

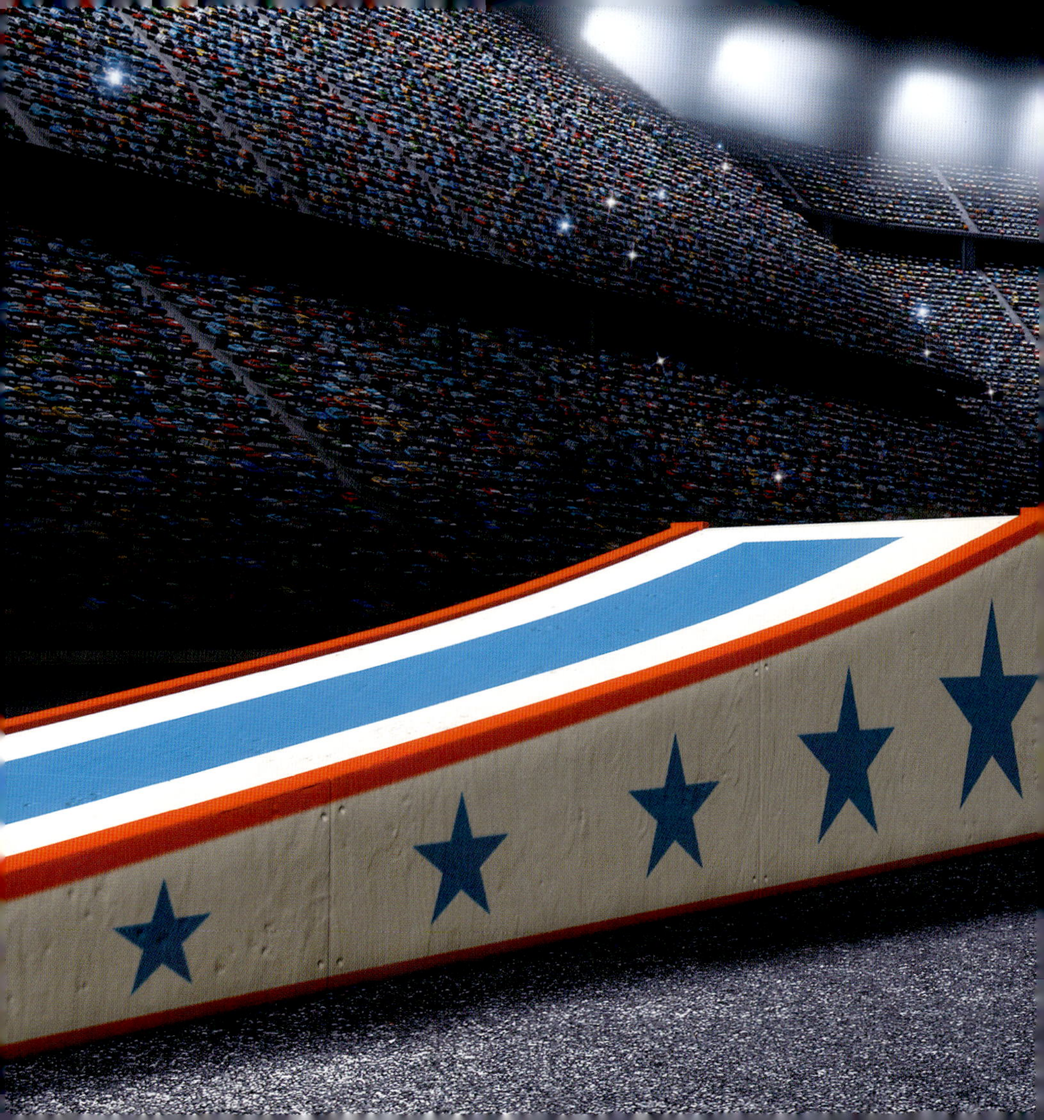

カーズ トゥーン

たんぺんさくひん
『カーズ トゥーン』シリーズの なかまたち

『カーズ トゥーン メーターの せかいつくりばなし』は、メーターの くうそうした おはなしが いっぱいだ。メーターと マックィーンが いろいろと へんしんするぞ！

ライトニング・マックィーン
らいとにんぐ・まっくぃーん
トゥーン とうきょう カスタムタイプ

「メーターの とうきょうレース」で、マックィーンは、ドラゴン・マックィーンと なって あらわれる。メーターの ゆくてを じゃまする ニンジャの くるまたちを けちらした。

LIGHTNING McQUEEN

メーター
めーたー
トゥーン とうきょう カスタムタイプ

メーターは、この「メーターの とうきょうレース」では あおく へんしん。らんぼうな くるまと、とうきょうタワーを めざす ドリフトレースで しょうぶする ことに なったよ。

MATER

084

ライトニング・マックィーン
らいとにんぐ・まっくぃーん

トゥーン ポリスタイプ

「めいたんてい メーター」で、メーターは じけんに まきこまれ、うみに つきおとされそうになった。でも、この マックィーンけいぶほが あらわれ、じけんを かいけつして くれた。

LIGHTNING McQUEEN

メーター
めーたー

トゥーン レスキュータイプ

メーターは、「レスキューチーム メーター」では しょうぼうしゃだったんだ。かじが おきて げんばに きゅうこう。まっかに もえさかる ビルの なかから、マックィーンを たすけだした。

MATER

085

メーター

めーたー
スタントカータイプ

　メーターは むかし、スタントカーだった。「メーター ザ・スタントカー」での おはなし。

たかい ところから とびおりることを はじめ、いろんな スタントに ちょうせんしたよ。

MATER

メーター

めーたー
プレーンタイプ

　メーターは、「ひこうき メーター」で スキッパーの ひこうがっこうに はいり、とびかたを おしえて もらった。そうしたら、じょうずに そらを とぶ ことが できたんだ。

MATER

メーター

めーたー

ホークタイプ

「ひこうき メーター」の なかで とべるように なった メーターは、ファルコン・ホークスという チームに はいる。こうくうショーで アクロバットひこうの わざを ひろうした。

MATER

ライトニング・マックィーン

らいとにんぐ・まっくぃーん

ホークタイプ

マックィーンも まけて いない。「ひこうき メーター」で マックィーン・ホークと なって、アクロバットひこうちゅうに あやうく ついらくしそうに なった メーターを たすけたよ。

LIGHTNING McQUEEN

087

メーター

めーたー
とうぎゅうしタイプ

「とうぎゅうし メーター」では、もちろん とうぎゅうしを していた メーター。きょうぎじょうでは、3だいの ブルドーザーたちを、かれいな わざで かるく いなした。

MATER

メーター

めーたー
タイムトラベルタイプ

「タイムトラベル メーター」で、メーターは、むかしの ラジエーター・スプリングスに たびを した。その ばしょで、わかい スタンレーと リジーが はじめて であう ところを みたよ。

MATER

088

JPN RESCUE

『にっぽんの きんきゅう しゃりょう』シリーズの なかまたち

マックィーンを はじめと した カーズの なかまたちが、にっぽんの パトカーや きゅうきゅうしゃ、しょうぼうしゃに なったよ。 どんな かつやくを するか とても たのしみだね！

089

パトカータイプ

ぱとかーたいぷ

　まちに くらして いる くるまたちの あんぜんと へいわを いつも まもって いるよ。マックィーンと、ドック・ハドソンの してい コンビで いきも ぴったり。これで もう こわいもの なし、みんな あんしんだね！

ライトニング・マックィーン
らいとにんぐ・まっくぃーん

LIGHTNING McQUEEN

ドック・ハドソン
どっく・はどそん

DOC HUDSON

090

きゅうきゅうしゃタイプ

きゅうきゅうしゃたいぷ

　びょうきの　くるまや、かじや　じけんで　けがを　した　くるまが　いたら、ルイジと グイドの　きゅうきゅうしゃコンビに　おまかせ！　すばやく　びょういんまで　はこんで くれるので、おおだすかりだ。

ルイジ
るいじ

LUIGI

グイド
ぐいど

GUIDO

091

しょうぼうしゃタイプ
しょうぼうしゃたいぷ

マックが メーターと フィルモアを のせて、かじの げんばに むかうよ。フィルモアが かじの ようすを きちんと はんだんし、メーターに しじを だして しょうかかつどうに あたるよ。

メーター
めーたー

MATER

マック
まっく

※この車は、実物大ではありません。

MACK

フィルモア
ふぃるもあ
しょうぼうしきしゃタイプ

FILLMORE

ラモーン
らもーん
どうろパトロールカータイプ

どうろを よい じょうたいに たもつ しごとを して いる。どうろに あなが あいて いないか、でこぼこに なって いないか、おとしものが ないかなどを しらべながら はしるんだ。

RAMONE

093

『アドベントカレンダー』の なかまたち

アドベントカレンダー2024 特別仕様
あどべんとかれんだーにせんにじゅうよん とくべつしよう

マックィーンと メーターが クリスマスの おいわいの じゅんびを して いるよ。クリスマスツリーを かざりつけたり、プレゼントを よういしたりと いそがしそうだね！

ライトニング・マックィーン
らいとにんぐ・まっくぃーん
ホリデータイプ
ほりでーたいぷ

LIGHTNING McQUEEN

メーター
めーたー
ホリデータイプ
ほりでーたいぷ

MATER

094

95 Lightning McQUEEN DAY

『ライトニング・マックィーンデイ』の なかまたち

ライトニング・マックィーンの ボディーの ナンバーは 95。その すうじに ちなんで、9がつ5かは ライトニング・マックィーンデイに なったよ。まいとし この ライトニング・マックィーンデイを きねんして、いろいろな カーズ トミカが とうじょうして いるよ。たのしみだね！

ライトニング・マックィーンデイ 2019
らいとにんぐ・まっくぃーんでい にせんじゅうきゅう

　くらい ところで ボディーの いなずまが ひかる マックィーンや、『カーズ／クロスロード』の えいがの なかで ほんの いっしゅんだけ とうじょうする マックィーンなど、めずらしい くるまばかりだ。もう いちど えいがを みたく なっちゃうね。

ライトニング・マックィーン
らいとにんぐ・まっくぃーん

ライトニング・マックィーンデイ
2019とくべつしよう

LIGHTNING McQUEEN

096

ライトニング・マックィーン
らいとにんぐ・まっくぃーん

メタリック
ファビュラスタイプ

LIGHTNING McQUEEN

097

ライトニング・マックィーンデイ 2019
らいとにんぐ・まっくぃーんでい にせんじゅうきゅう

ライトニング・マックィーン
らいとにんぐ・まっくぃーん
ビーチレーサータイプ
び ー ち れ ー さ ー た い ぷ

LIGHTNING McQUEEN

ライトニング・マックィーン
らいとにんぐ・まっくぃーん
プライマータイプ
ぷ ら い ま ー た い ぷ

LIGHTNING McQUEEN

098

ライトニング・マックィーン
らいとにんぐ・まっくぃーん
サンダー・ホロウ タイプ
(さんだー　ほろう　たいぷ)

ライトニング・マックィーン
らいとにんぐ・まっくぃーん
ピーリング オフ タイプ
(ぴーりんぐ　おふ　たいぷ)

LIGHTNING McQUEEN

LIGHTNING McQUEEN

099

ライトニング・マックィーンデイ 2020

らいとにんぐ・まっくぃーんでい にせんにじゅう

マックィーンの タイヤが クリアに なって いる タイプや、ラスティーズしゃの おおきな まるい マークが ない シンプルな ボディーの タイプ、メタリックに なって いる タイプが あるよ。

ライトニング・マックィーン
らいとにんぐ・まっくぃーん

ライトニング・マックィーンデイ 2020とくべつしよう

LIGHTNING McQUEEN

ライトニング・マックィーン
らいとにんぐ・まっくぃーん

スポンサーレスタイプ

LIGHTNING McQUEEN

ライトニング・マックィーン
らいとにんぐ・まっくぃーん
メタリック ダイナコタイプ

LIGHTNING McQUEEN

ライトニング・マックィーン
らいとにんぐ・まっくぃーん
メタリック カーズ3 タイプ

LIGHTNING McQUEEN

ライトニング・マックィーンデイ 2021

らいとにんぐ・まっくぃーんでい にせんにじゅういち

マックィーン、メーター、マックが きんいろに ペイントされて いるよ。とても まぶしくて ゴージャスな かんじが するね。さらに、エンブレムも これまでとは ちがう ものに なって いるので、ちゅうもくして ほしい。

ライトニング・マックィーン
らいとにんぐ・まっくぃーん

ライトニング・マックィーンデイ 2021とくべつしよう

LIGHTNING McQUEEN

102

メーター
めーたー
ライトニング・マックィーンデイ
2021とくべつしよう

マック
まっく
ライトニング・マックィーンデイ
2021とくべつしよう

103

ライトニング・マックィーンデイ 2022

らいとにんぐ・まっくぃーんでい にせんにじゅうに

マックィーンと メーターが、にっぽん かくちを ツーリングするよ。ボンネットに ふじさんを イメージした ステッカーを はったり、さくらを デザインした ペインティングをしたり して いるよ。これで じゅんびは ばっちりだ！

ライトニング・マックィーン
らいとにんぐ・まっくぃーん

ライトニング・マックィーンデイ 2022とくべつしよう

LIGHTNING McQUEEN

メーター
めーたー

ライトニング・マックィーンデイ 2022とくべつしよう

MATER

ライトニング・マックィーンデイ 2023

らいとにんぐ・まっくぃーんでい にせんにじゅうさん

　メタリックブルーの カラーリングを した マックィーンと メーターだよ。おちついた かんじで かっこいいね。しゃたいには オリジナルの エンブレムが きれいに ペイントされて いるよ。

ライトニング・マックィーン
らいとにんぐ・まっくぃーん

ライトニング・マックィーンデイ 2023とくべつしよう

LIGHTNING McQUEEN

メーター
めーたー

ライトニング・マックィーンデイ 2023とくべつしよう

MATER

105

ライトニング・マックィーンデイ 2024

らいとにんぐ・まっくぃーんでい にせんにじゅうよん

　しょどうの　すみを　テーマに　した　デザインで、しゃたいには　「らすてぃーず」と　ひらがなで　ふでを　つかって　かいたような　もじが　はいって　いる。リアタイヤも　すみが　かかったように　まっくろに　なって　いるんだ。

ライトニング・マックィーン
らいとにんぐ・まっくぃーん

らいとにんぐ　まっくぃーんでい
ライトニング・マックィーンデイ
にせんにじゅうよん
2024とくべつしよう

LIGHTNING McQUEEN

メーター
めーたー

らいとにんぐ　まっくぃーんでい
ライトニング・マックィーンデイ
にせんにじゅうよん
2024とくべつしよう

MATER

RESCUE GO!GO! レスキュー ゴー！ゴー！

『レスキュー ゴー！ ゴー！』シリーズの なかまたち

ラジエーター・スプリングスの みんなが、レスキューチームを つくったよ！ こまって いる くるまたちを たすけるんだ。こころづよいね！

ライトニング・マックィーン
らいとにんぐ・まっくぃーん

パトロールタイプ

ラモーンの ペイントショップで、きいろに ぬって もらったよ。しょうぼうたいの パトロールカーなんだ。ルイジが、タイヤも さいしんの タイプに こうかんして くれた。

LIGHTNING McQUEEN

メーター
めーたー

きゅうきゅうしゃタイプ

メーターは きゅうきゅうしゃに なった。けがや びょうきの くるまが いたら、すぐに かけつけて くれる はずだ。たよりに なるから あんしんして くらせるね。

MATER

ルイジ

るいじ

しょうぼうしゃタイプ

　まっかな ボディーに なった ルイジは、しょうぼうしゃだ。かじが おきたら、なにを おいても げんばに いくぞ。あたまには、きゅうじょに べんりな はしごを のせて いるよ。

LUIGI

グイド

ぐいど

しょうぼうしゃタイプ

　グイドも おなじく しょうぼうしゃ。いつものように ルイジと コンビで、かつやくして くれるだろう。グイドの はやわざは、かじの げんばでは とても やくに たつ。

GUIDO

109

フィルモア
ふぃるもあ

きゅうきゅうしゃタイプ

　まっしろな フィルモアは きゅうきゅうしゃ。メーターと いっしょに、けがや びょうきに なった くるまを たすける つよい みかただ。フィルモアに そうだんして みよう。

FILLMORE

サリー
さりー

ポリスカータイプ

　けいさつかんに なったのは サリー。まちの へいわを まもる ために、いっしょうけんめい がんばって いる。わるさを する くるまたちも、しっぽを まいて にげて いくよ。

SALLY CARRERA

ドック・ハドソン
どっく・はどそん

きゅうきゅうしゃタイプ

　ドックは　きゅうきゅうしゃだ。もともと　ドックは　おいしゃさんでも　あるから、しろい　ペイントは　おにあいだね。びょうきを　れいせいに　しんだんして　くれて、ありがたいな。

DOC HUDSON

ラモーン
らもーん

しょうぼうしゃタイプ

　かっこいい　しょうぼうしゃに　なった　ラモーン。ボディーの　ペイントも　ばっちりと　きまって　いる。みんなと　きょうりょくして、まちを　かじから　いつも　まもって　くれるぞ。

RAMONE

111

Disney・PIXAR Cars トミカ

増補改訂版
カーズ トミカ
ぜんぶ ずかん

2025年2月27日　第1刷発行

講談社編
協力／株式会社タカラトミー
デザイン／西　浩二

発行者／安永尚人
発行所／株式会社　講談社
　　　　〒112-8001　東京都文京区音羽2-12-21
　　　　編集　☎03-5395-3142
　　　　販売　☎03-5395-3625
　　　　業務　☎03-5395-3615
印刷・製本所／共同印刷株式会社

落丁本・乱丁本は、購入書店名を明記のうえ、小社業務あてにお送りください。送料小社負担にておとりかえいたします。なお、この本についてのお問い合わせは、海外キャラクター編集あてにお願いいたします。本書のコピー、スキャン、デジタル化等の無断複製は、著作権法上での例外を除き、禁じられています。本書を代行業者等の第三者に依頼してスキャンやデジタル化することは、たとえ個人や家庭内の利用でも著作権法違反です。

ISBN978-4-06-538329-2
定価と著作権表示は、裏表紙にあります。
N.D.C. 933　111p　15cm
Printed in Japan

KODANSHA